Claudia García López

CRISTALES ROTOS

EDITORIAL TE PUBLICAMOS

Título: Cristales rotos.
Autor: Claudia García López. © 2022

© 2022 Editorial Tepublicamos
Impreso en España / Printed in Spain
Impreso por Editorial Tepublicamos 2022

Maquetación: Editorial Tepublicamos
Diseño de Portada: Editorial Tepublicamos

1ª edición
ISBN: 978-1-915532-74-9

Para T.

I

Necesito palabras,
necesito algo a lo que aferrarme
cuando ya no me sirvan los recuerdos.
Necesito futuro,
necesito destino,
te necesito a ti.

Ya no consuela saber
que si cierro los ojos siempre estás ahí
porque ya no importa que no estés,
te convertiste en un muerto vivo en mi presente
al que resucitar
ya me es indiferente.

II

Fuera llueve, me gusta que llueva.
Pero cuando recuerdo
que los meses más bonitos de mi vida
fueron tuyos,
las gotas que la lluvia deja en mi rostro
se vuelven saladas.

III

Por la noche es más difícil
porque sueño
que vuelo contigo
en grúas de azúcar,
y al abrir los ojos
me giro y no estás,
y entonces caigo
                y caigo
                        y caigo
y me rompo al despertar.

Y lloro,
porque no sé cómo volver a verte
sin sentirte,
sin quererte como quiero al amanecer
cuando se refleja en tus ojos,
sintiendo que el solo hecho de existir
te convierte en utopía.
Distante,
demasiado perfecta
para ser imposible.

La brevedad es intensa.

IV

De lejos
te sentía cerca,
ahora te siento lejos
cuando te veo cerca.

V

Eres la asíntota horizontal
de la hipérbola de mi vida.
Compartimos un presente conjunto
sin llegar a tocarnos.

Según avanzamos,
la distancia que nos separa
se hace más pequeña.
Sin embargo,
no soy capaz de alcanzarte.

Tú y yo.
Cuanto más cerca, más distantes,
y esa fisura entre nosotros,
el universo.

Quizá un día entre sueños,
sonrías al imaginarte
a mi hipérbola intersecándose
contigo en el infinito.

Y solo entonces,
te arrepientas de no haber roto
con las leyes de la física por mí,
y me añores en silencio.

"Cómo gasto papeles recordándote,
cómo me haces hablar en el silencio…"
(Silvio Rodríguez)

VI

Si alguna vez te preguntas
si aún me acuerdo,
solo olvido.
De la misma manera
en la que se olvida
el olor de la lluvia;
de muchas
y al mismo tiempo
de ninguna.

VII

Dejé de escribir, dejé de soñar,
de sentir, de pensar.
Dejé de amar.
Eso destruyó el sentido
de mi existencia.

Dejé de escribirte, dejé de soñarte,
de sentirte, de pensarte.
Dejé de amarte.
Eso destruyó todo aquello
que se podría haber conservado
de mí tras mi ausencia.

VIII

Ha pasado mucho tiempo
pero aquí
todo sigue igual.
La vida pasa
y me pesa.
Solo soy un poco más alta
un poco más vieja
un poco más triste.

IX

Tus ojos me recuerdan al mar,
tus ojos no son azules.
Suplico al aire que respiro
que el viento te lleve mi aliento.
Mi lamento.
Con la segunda intención de escribirte
para que quizá,
algún día,
llegues a comprender lo que siento.

Cada vez más lejos del final.

X

Y aquí estoy otra vez
pensando en ti,
intentando que la explosión
que desea expandirse
por todo lo que existe
no abandone mi ser.

Óleo de una mujer con sombrero.
Silvio Rodríguez - 1975

XI

Tu silla está vacía.
Veo cómo la luz del sol
se refleja en su superficie.
Me imagino tu contorno
y lo dibujo en el aire,
imaginándome que estás ahí,
junto a todos nosotros.

La realidad se congela junto al tiempo,
solo queda tu silla
y la soledad que lleva consigo.

Tu silla está vacía,
eso es todo lo que importa.
Ya no están tus cosas
ya no estás tú.
Dejas un silencio que se ríe de mí
con una risa que me recuerda a ti
pero ya no puedo
reírme contigo.
Tu marcha se ha llevado mi presencia.

TBT
(Throwback Thursday)

XII

Atraso las horas en mi reloj de muñeca
hasta detener el tiempo
en el minuto preciso en el que te perdí,
sintiendo que mi mundo
quedó parado en aquel instante,
ahora que ya no puedo volver a ti.

XIII

Ya no soy más que una sombra
de algo que fue
pero que ya no supo continuar siendo.
Porque al dejarte atrás pasé a estar sola
y el paso de la compañía a la soledad
es demasiado duro
para volver a deshacerlo.

XIV

Inocencia fue pensar
que de mi vida
parte formarías
tras tu ausencia.
Y aun sabiendo
que las mayores tristezas
son las alegrías
que nunca llegamos a vivir,
no volviste.

XV

Estancados en el presente,
temerosamente mirando
hacia la borrosa mancha
que se desdibuja en el futuro.
Intentando ignorar aquello
que nos hizo como somos ahora,
deseando enterrar
todo lo que nos convirtió en personas
y olvidarlo.

Pero si algún día,
decides volver a tu pasado
buscando en tus recuerdos,
quizás, y solo quizás,
me encuentres a mí entre ellos.

El chico (1921)

XVI

Tristeza es quedarse en silencio
y que ya no importe,
quedarse sola
y que tampoco importe
porque sabes
que lo único que podría
llenar tu vacío
ya no existe.

Feliz viernes!!!

XVII

Doy pasos equivocados
que no puedo deshacer
y camino llegando hasta principios
que nunca pueden suceder.

Ahora que todo ha terminado
me doy cuenta de que me equivoqué
y me arrepiento de todos esos puentes
que di por imposibles
y que nunca crucé.
Ni siquiera al menos lo intenté.

XVIII

Confié demasiado en el destino,
y justo cuando más necesitaba
que las cosas se quedaran como estaban,
te alejaste de mí.

XIX

Asfixiantes vértices de una habitación sin aristas
en la que ordeno mis desastres con palabras,
intentando de esta forma
no olvidarme del dolor.
Temiendo llegar a ese momento
en el que al fin
llega la calma,
y pretendo sin victoria
conseguir decirte adiós.

XX

Es una actriz de pies descalzos
que nunca dejó de actuar,
su vida transcurre dentro de una película
porque su mundo es demasiado difícil de afrontar.

XXI

Demasiado rápido se desvanecen las horas que paso junto a ti.
Y las demás, junto a tu ausencia, demasiado lentas,
pero a la vez muy rápidas, porque sin darme cuenta,
vuelvo a encontrarme añorando tu presencia.

XXII

Crecí entre las ramas de un árbol
en un jardín con margaritas,
entre el olor a pintura y el sabor a mar.
Crecí entre risas y fiestas
en noches de verano,
entre vinilos de los Beatles,
números
      palabras
            sueños de papel.

Hoy me pregunto en qué momento
los colores que me hacían sentir viva
se mezclaron para manchar el presente
de un gris asfixiante,
desmayándose en mi televisión.

Millones de niños sin infancia, sin futuro,
sin sueños en un jardín sin margaritas.
Sufriendo las consecuencias
de un mundo en el que domina el poder,
en el que las palabras carecen de sentido
porque prevalece el miedo.

No somos personas,
somos meros puntos de inflexión
atascados entre lo cóncavo y lo convexo,
sin avanzar,
paralizados por el frío,
por el odio,
por los medios.

XXIII

Los días felices
son los más tristes,
sombras de historias bonitas
que no volverán a repetirse.
Ahora
contemplando el mar azul de tu ausencia
intento buscarte navegando sin palabras,
leyendo entre los versos que nunca escribí
para encontrarte.
Marinero en tierra
engañado por el espejismo
de las olas en tu mirada,
nunca entendí que flotábamos
en un océano sin agua.

XXIV

Mirando las estrellas en gerundio
imaginándote mirando tú también,
creyendo que si ambos las miramos
mi estrella será tu estrella,
y la estrella,
nuestra estrella,
y por su brillo
nosotros
será también.

Pero las estrellas son estrellas
no nos unen ni separan,
no brillan por nosotros,
brillan porque,
muertas,
no soportan el final de su existencia.

Y en ese final
quedamos nosotros,
que miramos
la misma realidad muerta
al mismo tiempo.

XXV

No he conseguido borrarte
porque mi camino todavía lleva tu nombre,
y de improviso
cuando pienso que ya no estás,
me recuerdan que estuviste
y vuelvo atrás.

XXVI

Odio pérdida amistad traición
sentido es lo que indica hacia donde cae mi perdición.
Miro los hilos que me atan,
como marioneta,
a mis progresos.
Sonrío,
y mientras afilo mis tijeras,
me replanteo si en verdad es percepción y no sentido
lo que hace que mi perdición se transforme en mi destino.

XXVII

Escribo poemas en la palma de mis manos,
y así siento,
que aunque te lleves la prosa del resto de mis días,
los versos que recorren los dedos de mis manos,
siempre me devolverán poesía.

Que la monotonía no se convierta en rutina.

XXVIII

Quisiera estar despierta eternamente,
no dormirme ni un instante
y de esta forma no llegar a resignarme
con tener que despertarme.
Y abrir los ojos
y encontrarme
con un mundo que no entiendo.
Y ver los rostros ajenos de la misma gente.
Todos los días.

Estoy cansada de buscar tu nombre
en donde no voy a encontrarte,
y pretender que estoy aquí
cuando no estoy en ninguna parte.
Estoy harta de pensarte,
estoy harta de añorarte,
estoy harta de sentir para decir,
luego callarme.

XXIX

Quiero
teñir con mis recuerdos
el color de tus ojos,
para poder dibujarte con él
un camino que te traiga de vuelta
y que nunca jamás te pierdas.

XXX

Antes tú.
Ahora nada.
El vacío que hace que me quiera ir
me hace estar,
aun sabiendo
que si me quedo,
voy a querer irme de nuevo.

XXXI

Colgué un póster de Malevich
encima de mi cama.
Blanco sobre blanco.
Lo miro y te pienso.
De nuevo.
Blanco sobre blanco.

Me recuerda a ti,
siempre ahí,
pero sin poder verte.
Ni siquiera la sangre que compartimos
se atreve a dibujar tu silueta,
sobre el fondo blanco,
para que pueda volver a verte.

XXXII

Quise esconder un mundo entero
entre mis manos.
Y cuando abrí los puños
me di cuenta
de que mis manos
estaban vacías.

XXXIII

El mar es azul
porque de tanto querer al cielo
acabó por convertirse en su reflejo.
Pienso si no soy yo
el reflejo de algo
que ya no existe.
Intentando romper
con la primera persona
de mis versos,
pretendiendo encontrar mi sitio
en un futuro
en el que solo soy tus restos.

XXXIV

Los días se hacen más cortos
y las noches más frías.
Septiembre ya no es septiembre
sino un fragmento de tiempo
que me recuerda a ti.
En el que junto al verano,
te perdí.

XXXV

Nunca pensé que el otoño
podía ser tan triste.
Ahora desde mi ventana veo caer
las hojas del árbol
que lleva nuestros nombres,
como si así consiguiese
desvestirse de nuestras risas
y deshacerse de su sombra
en nuestras voces.

XXXVI

Me canso
de abrir las ventanas
y encontrar
que se me nubla el despertar.
Me fascina
que las olas del mar
sigan rompiendo en tu orilla
cuando ya no estás.

No sé cuándo me acostumbré
a abrazar tu ausencia
como si fuera una persona
que pudiese sentir
el calor
de unos brazos vacíos
en una ilusión sin cuerpo.

XXXVII

Ayer te vi sonreír a mi espalda
en el reflejo del cristal.
Y cuando me miraste
con los ojos cerrados
entendí que hay piezas
que resuelven más de un puzle,
y aunque tus lunares encajasen
con los huecos de mi piel vacía
no pertenecías a este lugar.

XXXVIII

Hoy he tirado a la basura
once lapiceros de grafito
y me he comprado un metro
que mide la distancia del revés,
para que así cada vez que te busque
estés más cerca
y en vez de alejarte,
vuelvas otra vez.

XXXIX

El tiempo perdió las ganas de vivir,
las horas se suicidaron.
Los recuerdos,
por mentir,
fueron asesinados.

XL

De tanto pensar que te tenía
de tanto calcular lo que decir
no sé si fue mi miedo o tu apatía
pero al girarme un día
no estabas allí.

XLI

Llegas tarde,
te espero en una mesa
que llenas con tu ausencia
mientras sueño
con una niña pidiendo a su padre
pajaritas de papel.

Hace frío
y yo dibujo flores de colores
en un mantel manchado por recuerdos
de demasiadas personas.
Es mucho más bonita la noche de un miope.

Me pregunto si vendrás
o si marcharme
cuando veo tu sonrisa
incendiando mi atención.
Me río y mi presencia sorprende a una señora
que arruga su mirada
entre el café que hay en sus manos.
Saltas minutos jugando a la comba
al ritmo de una canción infantil.

XLII

Dejas mis sonrisas en leído
y nuestras voces se buscan
detrás de la pantalla.
Somos algoritmos virtuales
actuando como conocidos
en un mundo digital
que no comprenden.

Deshago mis recuerdos
deseando encontrar
el lugar en el que me perdí
y dejé de ser yo,
el momento en el que la ciencia
me transformó
en un mensaje
sacado de contexto.

XLIII

Quiero dejar de sentir,
quiero dejar de pensar,
quiero que vuelvas a mí,
pero también te quiero olvidar.

Fin de puente.

XLIV

Ojalá nunca amanezca,
las noches
congelan el tiempo
que nos faltó por vivir.
Lo contemplo,
lo miro con rencor
alargando mis manos para tocarlo
porque me parece imposible
que ese tiempo ya no exista.

XLV

Hoy me he peleado contra el viento
por olvidarse de tu voz
y he cortado las cuerdas de mi guitarra
por no ser capaces de entender
mis tristes baladas de amor.

Hoy he bailado con tus recuerdos
al compás de un pasado perfecto,
he discutido con la pared
y les he gritado a las tostadas
que no quería ser sin ti
quien ambos queríamos ser.

Empezando semana con fuerza.

XLVI

Somos
fuimos
y seremos
demasiado conocidos
para ser desconocidos.

Qué asco el atasco, es un chasco.

XLVII

No sé cuántos versos más
te voy a tener que dedicar
para llegarte a olvidar.

XLVIII

¿Quién soy?
Cuando la soledad
se mira al espejo,
al verse en el reflejo,
desaparece.

Ojalá los lunes
o los domingos verdes
perdiesen su imagen
en vez de intentar
agradar falsamente
con la ineficaz absurdez
de su existencia.

XLIX

Entre las líneas, en los silencios,
esperas a que llegue de nuevo a darte forma
expectante por saber en quién te convertiré esta vez.
Adelantándote a mí y a la poesía.
Sorprendiendo a los huecos que dejaste
con tu falso regreso,
con tu falsa armonía.
Estás ahí, en las palabras que nunca te dedico
porque me niego a aceptar
que te sigo esperando.

L

Se me acaban las palabras
se me acaban las formas de decirte
que te echo de menos
de pedirte que vuelvas.
Se me acaban las lágrimas
el tiempo
se me acaba el aire
que compartías conmigo
para que yo respirara.

Y a veces la inspiración solo son
plataformas y sandalias en un banco del Retiro...

LI

Me he calzado tus zapatos
y desde entonces camino haciendo el pino
para no mancharte el pasado
con mis pasos.
La vida es más bonita
cuando en vez de caminar por el suelo,
me lleva el viento.

Berlín.

LII

Me pierdo en una ciudad
que no entiende mi nombre.
Me siente tan lejos que me sonríe
a través de los cristales de un tren amarillo
con vagones vacíos.

Aquí todos parecen saber a dónde van,
caminan deprisa,
esperan soñando despiertos
en un mundo digital que no comprenden;
quizás les dé miedo mirarse a los ojos.

LIII

Cada tarde veíamos la noche
desmayarse sobre nuestros hombros
a la luz de unas velas
que nunca llegamos a encender.

Decidimos enfrentarnos a la oscuridad
para no temer a la mañana
de la misma forma en la que aceptamos
el paso del tiempo
sin pensar en el final.

Escondiendo el comienzo
para nunca tener que acabar
con una historia demasiado perfecta
para ser real.

Lo más bonito es lo más sencillo,
lo que nunca pretendió ser un principio,
un cambio, lo que nunca fue nada
pero acabó por ser tanto.
Algo parecido a un sueño.

LIV

Te desvistes de todos tus secretos
en una habitación sin ventanas
y en la opresión de un vacío demasiado denso
siento la oquedad de un alma sin fondo.
Me recuerdo,
cómo voy a escribir lo que siento
si ni siquiera sé quién soy
o en quién pienso.

Nunca me había costado tanto escribir un poema.

LV

Hay días que es mejor no despertar.
Hoy es uno de esos
de color sepia
que ni siquiera la letra más triste
de mi canción favorita
puede superar.

Miro el vaso entre mis manos y me pregunto
cómo habrá llegado hasta ahí.
Cuánto tiempo llevará guardando cada lágrima
para demostrarme que este dolor no es un sueño,
que es real.
La tristeza me moja la camisa
al romperse el vidrio entre mis dedos asustados.
Todo se acabó.

A veces lo más valiente es abandonar,
confiar en que el tiempo y la distancia
aprendan a olvidar.
Esto no es un final que sucede a nuestro pesar,
es una despedida,
y las despedidas, aun siendo evitables,
en ocasiones no queda más remedio que asimilar
que son la forma más osada de acabar.

Feliz comienzo y feliz día de luna de Cosecha.
(MAS: cuando V es máxima, a=0)

LVI

Cada año el mismo principio
con finales diferentes.
Esta vez oscilamos en torno a un igual objetivo
impuesto por una sociedad absurda
que alimenta jóvenes con pastillas
pensando que eso significa progresar.
Un movimiento armónico simple
del que somos incapaces de escapar.

Las palabras te dibujan versos
en el suelo del salón
mientras bailan un vals
bajo la luz de una luna demasiado brillante.
Se despiden del verano bebiéndose la oscuridad.

Creo que todo tú eres aceleración
porque cuando alcanzo
mi máxima velocidad
para encontrarme contigo
siempre te paras
y nunca lo consigo.

LVII

Como equilibristas
intentamos mantener la compostura,
pirueteando entre las mentiras que nos obligaron a crecer.
Ignorando el profundo abismo
bajo nuestros pies.

Titiriteros fingiendo
ser personas diferentes,
deformando el presente
para perder el miedo a caer.
Vertiginosamente desafiando al equilibrio,
jugando con los sueños,
sabiendo que si tropezábamos
caeríamos a una sima sin final.

Somos sombras sin cuerpo
que desvisten sus recuerdos
en vez de mirarse a los ojos.
Porque aprendimos que olvidar
es la mejor forma de querer.

Y por miedo a perderte
te solté la mano.
Y tú te caíste.
Y en vez de morir,
volaste.

LVIII

Borré la línea del horizonte
y al fin el mar pudo fundirse con el cielo,
entendí entonces la palabra libertad.

Aprendí que la calma
también se puede encontrar
en un lugar con ruido,
y que esos lugares,
a veces son personas.

Las palabras juegan al escondite
porque saben
que dicen más cosas los silencios.
Solo ellos se atreven a sentir.
Yo para sentir el silencio,
escribo.

Las reacciones de neutralización me dan nostalgia.
pH2: Zumo de limón
pH12: Jabón

$$C_3H_4OH(COOH)_3 + 3NaOH \rightarrow C_3H_4OH(COONa)_3$$

LIX

Me escondo entre rosas de vidrio
y sus hojas tocan mis pies descalzos.
Por mis venas circula zumo de limón.

Sonríen tus pupilas
cuando te cojo de las manos.
Entre el sabor de tus abrazos
hueles a jabón.

Soy tan ácida
que cuando me pierdo
entre tu risa alcalina
me neutralizo.

LX

Un día me enredaste en tu alegría
y desde entonces ya no puedo
vivir sin tu sonrisa.

Me caigo y tú recoges mis pedazos,
intentas arreglar
lo que rompo tras mis pasos.
Eres un salvapantallas
protegiéndome del exterior,
sin dudar romperte tú por mí.

Hoy entiendo lo que significa la amistad,
me regalaste las estrellas
sacrificando que en tus noches
solo quedase oscuridad.

Por eso te quiero más que a los colores,
más que a las películas raras,
los pendientes extravagantes
y los jerséis de rayas.

Te quiero más que a las grúas
y los granizados de limón,
más que a las nubes de azúcar,
las canciones viejas,
las raíces cuadradas,
te quiero más que a las palabras.

Tienes que saber
que aunque no camine en línea recta,
por ti soy hasta capaz
de irme al desierto en bicicleta.

LXI

Nuestros ojos se besaron
de nuevo
en una calle de Madrid.

Ya no dueles,
he conseguido al fin
convertirte en un recuerdo,
dejarte marchar.

Siempre ahí, conmigo, me acompañas,
como la cicatriz de una herida
que nunca dejó de sangrar,
que vuelve a frotarse con sal
una y otra vez
por miedo a perder profundidad.

Te miro y entiendo
que soy aquello
que nunca volverás a recordar,
eso que tú también abandonaste
por miedo a no poder olvidar.

Sonrío mientras te veo alejarte;
logré convertir al dolor en medicina,
y de tanto sufrir,
conseguí sanar.

Al fin la calma.

LXII

Perfectos en todo.
Podíamos y rompíamos cristales
con las manos desnudas,
hasta que un día,
por esa maldita confianza mía,
me corté.

Printed in Great Britain
by Amazon

16177211R00043